17 Ways to Attract Abundance

MARIA PORTAS

17가지 풍요를 끌어당기는 방법

마리아 포르타스

17가지 풍요를 끌어당기는 방법

발 행 | 2024년 8월 6일

저 자 | 마리아 포르타스 Maria Portas / 김현건 옮김

펴낸이 | 한건희

펴낸곳 | 주식회사 부크크

출판사등록 | 2014.07.15.(제2014-16호)

주 소 | 서울특별시 금천구 가산디지털1로 119 SK트윈타워 A동 305호

전 화 | 1670-8316

이메일 | info@bookk.co.kr

ISBN | 979-11-410-9979-4

목차

서문

끌어당김의 법칙은 한 때 뜨겁게 화제에 오른 주제였으며, 이제는 그 어느 때보다도 사람들은 신중한 사고와 긍정적인 감정, 의식적 의도를 통해 물리적 환경에 대한 통제력이 자신에게 있음을 깨달아가고 있다.

이 새로운 깨달음은 짜릿하고 힘을 주지만, 정보 자체는 새로운 것이 아니다. 수세기 동안 영적 교사와 저자들은 우리의 물리적 환경을 형성하고 주조하는 힘에 대한 깊은 통찰력을 공유해 왔다. 하지만 이 정보는 오늘날처럼 대다

수 "평범한" 사람들에게는 널리 제공되지 않았었다. 거의 모든 사람이 접근할 수 있는 인터넷과 책, 기타 미디어 덕분에, 이제 우리는 과거 그 어느 때보다 훨씬 더 빠르고 쉽게 정보를 공유할 수 있게 되었다.

더 좋은 것은, 지난 세기의 과학적 진보가 이러한 개념이 작동한다는 잠정적 증거를 제공하기 시작했다는 사실이다. 양자 연구는 우리 우주가 작동하는 방식에 대한 놀라운 통찰력을 드러내고 있으며, 우리는 우리가 단순히 수동적인 관찰자가 아니라 집단적, 개인적 측면에서, 환경에 우리의 의지를 발휘하고 인생을 바꿀 수 있는 힘을 가진 강력한 참여자라는 사실을 예리하게 인식하게 되었다.

이러한 연구는 더 좋은 것을 창조하고, 풍요로워지고, 보다 만족스러운 삶을 창조하기 위해 의도적으로 끌어당김의 법칙을 사용하는 방법을 이해하도록 돕는다. 그 어느 때보다도 우리는 특정 경험을 삶에 끌어들이도록 행동과 생각, 감정 상태가 올바른 "주파수"를 방출하는 데 도움이 된다는 사실을 이해하게 되었다.

이 책의 많은 부분은 돈과 풍요에 초점을 맞추고 있지만, 그 개념은 다른 어떤 주제에도 쉽게 적용될 수 있다. 모든 점을 고려해 볼 때, "풍요"란 그저 돈과 행복, 사랑, 평화, 활기찬 건강과 모든 형태의 선(善)의 꾸준한 흐름을 포함하는 자연스러운 웰빙 상태일 뿐이다.

앞으로 나오는 글에서 당신은 당신의 삶에 더 많은 풍요를 끌어들이기 위해 할 수 있는 17가지 간단한 아이템을 보게 될 것이다. 특별히 정해진 순서는 없으므로, 어느 쪽이든 원하는 대로 읽어도 상관없다. 건너뛰어도 좋고 처음부터 끝까지 읽어도 좋다. 전적으로 당신에게 달렸다.

이 기법 중 일부는 새롭지 않을 수도 있지만, 어쨌든 진지하게 생각해보기 바란다. 기법이 이 책에 포함된 이유는 단 하나뿐이다. 바로 효과가 있기 때문이다!

이 책에서 얻을 수 있는 가장 중요한 통찰력 중 하나는, 더 큰 풍요를 삶에 끌어들이는 것은 당신이 무엇을 하는지뿐만 아니라 당신이 누구인지, 매일 매순간마다 당신이 생각하고 느끼고 믿는 방식에 대한 것이라는 점이다. 물론 물리적 행동도 한 자리를 차지하며, 그것은 나중에 책에서 논의할 예정이다.

한편, 이 책에 담긴 전략 대부분은 당신에게 **자연스럽게** 풍요를 끌어당기는 사람의 정신적, 감정적 상태로 쉽게 전환하는 방법을 보여줄 것이다. 실제로, 당신은 이 기법을 실천하는 많은 사람이 경험하는 것, 돈이 예상했던 곳과 예상치 못했던 무한한 근원에서 흘러들어오는 것을 경험하게 될 것이다. 더 좋은 것은 그 일이 일어나게 하려고 긴장하거나 힘들게 애쓸 필요가 없다는 것이다. 그것은 당신의 정신적, 감정적 "주파수"의 질이 향상되면서 발생하는 자연스러운 부산물이 될 것이다.

결과를 보는 데 걸리는 시간은 사람마다 크게 다르다. 그것은 모두 당신의 현재 "기본적 진동" 상태와 얼마나 완전하게 더 높은 주파수로 이동할 수 있는지에 달려 있다. 이 기법을 사용해서 즉각적인 결과를 보는 것도 분명 가능하지만, 설사 조금 오래 걸리더라도 효과가 없다고 생각하는 실수를 범하지는 마라! 어떤 이들은 며칠에서 몇 주 동안 아무런 변화도 없다가 어느 순간 쾅! 한 순간에 모든 것이 달라지는 것을 경험하기도 한다.

결과를 보는 데 몇 분이 걸리든, 또는 몇 달이 걸리든, 매일 이 기법에 집중할수록 결과가 더욱 강력해진다는 사실을 기억하라. 그리고 이 과정을 즐기면서, 재미있게 진행하면 빠른 결과를 이끌어내는 데에도 큰 도움이 될 것이다.

좋다. 이제 당신도 풍요를 끌어당길 준비가 되었는가? 그럼 시작하자!

1. 초점을 바꿔라

풍요를 끌어당기기 위해 할 수 있는 가장 중요한(그리고 일반적으로 가장 어려운) 것 중 하나는 결핍과 부족으로부터 의도적으로 초점을 전환하는 습관을 들이는 것이다. 결핍에 집중하는 대부분의 사람들 그 사실을 알지도 못하기 때문에 이것은 어려울 수 있다!

결핍에 "집중한다"는 게 무슨 말일까? 거의 끊임없이 그것에 대해 생각하고 있다는 뜻이다. 어음을 어떻게 결제할지에 대한 걱정. 필요한 물건을 살 돈이 "충분하지 않을까" 하는 걱정. 다른 사람이 당신보다 훨씬 더 많이 가지고 있는 것처럼 보이는 것에 대한 질투와 속쓰림. 가진 것이 거의 없다는 사실에 대한 괴로움과 분노. 재정 문제에 대한 두려움과 불안, 좌절 등... 이런 목록은 끝없이 계속될 수 있다. 이 모든 것은 결핍과 부족에 초점을 맞추는 명확한 그림을 보여준다.

이것이 당신의 현재 상황을 묘사하는 것이라면, 당신은 "물론 나는 그것에 집중하고 있어. 그게 지금 내 현실이니까!"라고 소리치고 싶을지도 모른다.

이런 제안이 얼마나 어려울지 알지만, 결핍과 부족에서 초점을 돌리기 전까지는 당신의 삶에 풍요를 가져올 수 없을 거라는 사실은 변하지 않는다.

더 많은 것을 끌어들이기 위해서는 풍요의 측면에 초점을 맞추기 시작해야 한다. 이 작업을 수행하는 데에는 여러 가지 방법이 있으며, 이어지는 글에서 그 중 많은 것을 다룰 것이다. 하지만 일반적인 의미에서, 매일 자신의 초점을 인식하는 법을 키우기 시작하라. 돈에 관한 생각과 감정의 전반적인 방향성에 더 많은 주의를 기울이기 시작하라.

당신은 얼마나 자주 돈과 고지서에 대해 걱정하거나 두려움과 좌절감을 느끼는가? 얼마나 자주 많은 돈을 가진 사람들에 대해 질투와 분노, 분개를 느끼는가?

일단 당신 안에서 이런 감정적 반응을 인식하게 되면, 그것을 의도적으로 다른 방향으로 돌리기 시작하라.

예를 들어, 다음 주가 만기인 매월 나가는 청구서에 지불할 충분한 돈을 마련할 수 있을지 걱정하고 있다고 가정해 보자. 이것을 알아차리는 순간, 당신은 이 초점을 전환하기로 **선택**할 수 있다. "더 이상 걱정할 필요가 없다. 나는 항상 필요한 모든 것을 다 커버할 수 있는 충분한 돈을 가지고 있다." 이런 식으로 확언할 수 있다.

처음에는 이런 확언이 믿어지지 않을 것이다. 사실, 당신이 냉큼 믿지는 못할 것이라고 장담할 수 있다. 왜냐하면 만약 그랬더라면 외부 현실이 그것을 반영했을 것이기 때문이다. 설사 당신이 말하고 있는 것을 믿지 않는다고 해도,

의심을 제쳐두고 매일 반복해서 확언을 말하면, 그것은 결국 당신의 잠재의식 속으로 가라앉기 시작할 것이다.

이것은 왜 중요할까?

잠재의식의 믿음은 우주로 방출하는 주파수를 변화시켜 당신에게 해당 결과로 돌아오게 하는 생각과 감정을 촉발하기 때문이다.

이 전략의 또 다른 문제는, 결과가 곧바로 나타나지 않아 효과가 없다고 생각하게 될 수도 있다는 점이다. 우리 중 대다수는 며칠 동안, 어쩌면 일주일이나 보름 정도 무언가를 시도해보고서 외부 환경에 변화가 있는지 확인해보는 경향이 있다. 그리고 변화가 없으면 효과가 없다고 결론짓고 포기한다. 하지만 나는 설사 즉각적인 결과를 보지 못하더라도, 어쨌거나 계속하라고 강조한다! 실제로, 이것으로 얻을 수 있는 장기적인 결과는 당신이 상상할 수 있는 것보다 훨씬 더 심오하다. 사람마다 다르겠지만 어느 정도 시간이 지나면, 삶의 모든 영역에서 더 많은 양과 빈도로 나타나는 온갖 형태의 풍요를 보게 될 것이다.

자신에게 큰 호의를 베풀고 이 기법을 단기적인 시도가
아닌 평생의 습관으로 삼겠다고 결심하라. 남은 생애 동안
매일 실천하고 유지하겠다고 맹세하라. 당신은 결국 결과를
보게 될 것이다.

마지막으로, 이 연습을 완벽하게 할 필요는 없다는 사실
을 이해하라. 하루 이틀 정도 다시 빈곤의식으로 돌아간다
고 해서, 이제껏 해온 모든 것을 망치지는 않을까 하고 생각
하는 착각을 범하지 마라. 그렇지 않다. 실제로 결핍과 부족
에 초점을 맞추는 것보다 더 자주 원하는 것에 집중할 수
있다면, 당신은 게임에서 무조건 앞서나가게 되어 있다!

2. 기쁨을 동반자로 삼아라

특별한 이유 없이 기분이 좋았던 날을 가져본 적이 있는가? 좋은 기분으로 잠에서 깨어 하루 종일 마음이 가볍고 쾌활한 기분을 느꼈던 적이 있는가? 그랬던 지난날을 생각해보면, 아마도 모든 것이 당신을 위해 쉽게 흘러가는 것처럼 보였다고 기억할 수 있을 것이다. 설사 장애물이 한두개 나타나더라도, 당신은 무릎 꿇지 않고 그것을 넘어서서 행글라이더처럼 활공해 나가는 길을 찾았을 것이다.

이런 날이 그렇게 대단한 데에는 중요한 이유가 있다.

기쁨이 당신의 네비게이터(navigator)이기 때문이다! 여기서 그저 "행복"에 대해서만 얘기하는 것이 아니다. 기쁨은 행복보다 몇 단계 높은 감정적 차원에 있다. 행복을 느끼면, 기분이 좋아진다. 기쁨을 느끼면, 끝내주는 기분이 든다! 마음이 고양되고 쾌활해진다. 어떤 것도 당신을 실망시킬 수 없다. 모든 사람과 모든 것에 대해 기분이 좋아진다.

가능한 한 자주 즐거운 기분에 빠지려고 노력해야 할 두 가지 이유가 있다. 첫째, 기쁨의 감정은 강하고 높은 긍정적 주파수를 방출하여 멋지고 훌륭한 것을 당신의 경험 속으로 끌어들인다. 둘째, 기쁨의 감정은 좋은 것들이 당신의 길로 흐르도록 당신의 태로를 매우 **수용적으로** 유지시켜 준다. 다시 말해, 잘 받을 수 있도록 당신을 열어준다. 매일 즐거운 마음 상태에 머물수록, 주변에서 더 많은 기적이 일어나는 것을 보게 될 것이다.

하지만 어떻게 의도적으로 이 상태에 들어가서 머물 수 있을까?

그렇게 하는 방법은 무수히 많다. 기본적으로, 당신을

기분 좋게 해주는 것을 생각해보라. 어쩌면 당신은 위대한 명곡을 듣는 것을 좋아할지도 모른다. 또는 조깅을 좋아할 수도 있다. 어린 시절의 사진을 다시 보거나 영감을 주는 책을 읽거나 감동을 주는 영화를 보는 것이 도움이 될지도 모른다.

기분 좋은 상태로 어떻게 들어가는지 방법은 중요하지 않지만, 가장 큰 도전은 그렇게 하겠다고 **선택**하는 것이다. 즐거운 날은 그만큼 멋지고 훌륭하지만, 자주 일어나지는 않는다. 그런 날이 생기게끔 만드는 것은 바로 당신에게 달려 있다.

매일 긍정적인 감정을 흐르게 할 것들을 생각하고, 듣고, 보고, 읽어라. 기쁨과 열정으로 폭발할 때까지 계속하라. 그리고 나서 그 느낌이 하루 종일 당신이 하는 모든 것을 지휘하도록 하라.

좋아하는 것을 하고 당신이 하는 일을 사랑하라! 긍정적인 감정을 강화하는 일을 하는 데 시간을 할애하거나, 하고 싶지 않은 일을 할 때에도 기쁜 마음으로 최선을 다할 수 있다. 올바른 마음가짐을 채택할 때 가장 불쾌한 허드렛일조차도 얼마나 재미있을 수 있는지 놀라울 정도이다!

다시 말하지만, 할 수만 있다면 실제로 매일 하고 싶은 것이 있을 것이다. 걱정하지 말고 가끔씩 쉬는 날에 하면 된다. 완벽하게 할 필요도 없다. 단지 가능한 한 즐기려고 노력하면서, 재정 상태를 비롯하여 당신의 주변 환경이 어떻게 달라지는지 지켜보라!

실제로, 이 전략을 당신의 재정 상황에 적용해서 더 큰 보상을 수확할 수 있다. 청구서를 지불하기 전에 기쁨의 상태로 들어가려고 노력하라. 내보내는 돈에 대해 기분이 좋아지고, 자신감 있게 더 많은 돈이 곧 올 것이라고 확언하라. 또 다른 방법은 아주 큰 금액의 수표를 쓰고서 매일 그것을 바라보는 시간을 갖는 것이다. 당신이 정말로 큰 수표를 받았고, 그 돈이 이미 당신 것이라고 상상해보라. 자신의 행운에 대한 경외감과 기쁨, 감사의 상태로 빠져들어 보라.

(웃지 마라. 슈퍼스타 짐 캐리가 무명시절에 천만 달러짜

리 수표를 어떻게 썼는지 들어본 적이 있는가? 이제 그는 자신이 만드는 모든 영화에서 그 이상의 개런티를 요구하고 있다!)

기쁨의 요소를 재정적 상황과 그 너머까지 가져오는 더 많은 방법이 있다. 그냥 창의력을 발휘하고 재미있게 즐겨라! 전반적인 재정 상황에 대해 보다 긍정적인 감정을 표현할수록, 긍정적인 변화가 더 빠르게 일어나는 것을 보게 될 것이다.

3. 열정을 휘저어라

　기쁨처럼, 열정은 - 말하자면 - 정말로 당신의 주스를 흐르게 할 힘을 가졌다. 여기서 주스란 더 강하고 활력 있는 진동을 말한다. 가장 최근에 정말로 좋아하는 일을 했을 때 그것이 어떤 느낌을 주었었는지 생각해보라. 시간이 멈춘 것 같지 않았던가? 너무나 몰두해서 한 동안 자신의 고민이나 문제를 모두 잊지는 않았던가?

　취미가 그렇게 멋진 것이 바로 이런 이유 때문이다. 취미는 우리를 걱정과 스트레스에서 벗어나 더 쾌적하고 평화로운 상태로, 우리의 내적 본성과 완전히 연결되어 있는 자리로 들어가게 한다. 우리는 지금 하는 일을 너무 즐거워서 다른 모든 것을 잊어버린다. 걱정이나 스트레스, 두려움, 좌절은 모두 사라지고 한 동안 존재하지 않는다.

하지만 이것이 어떻게 풍요로 이어질까? 쉽다. 그렇게 "흐름 속"에 있으면, 모든 좋은 것이 더 쉽게 흘러들어올 수 있으며, 기쁨에 관한 절에서 다루었듯이 당신은 그것을 더 수용적으로 받아들이게 된다. 사실 기쁨과 열정은 종종 함께한다. 기뻐할 때 당신은 열정적이며 그 반대도 마찬가지다.

문제는, 취미를 즐길 시간이 있는 사람이 누가 있겠는가? 요즘은 누구나 할 것 없이 대부분 매우 바쁘다. 잠에서 깬 순간부터 지쳐서 밤에 쓰러져 잠들 때가지 정신없이 움직인다. 당신은 취미라는 "사치"를 가질 여유가 없다고 느낄 수도 있지만, 정말로 어떻게든 시간을 내는 것이 중요하다. 그리고 긴 시간도 필요 없다. 일주일에 한두 시간 정도 여유를 낼 수는 있지 않겠는가? 그 짧은 시간조차 낼 수 있을지 의심스럽다면, 주간 일정을 면밀히 살펴보고 정상적으로 하는 모든 일을 정말로 해야 하는 것인지 진지하게 자문해 보라. 과연 열정에 빠지기 위해 조금이라도 시간을 낼 수 없단 말인가?

정말로 한 시간도 마련할 수 없다면, 15분이라도 내고 점진적으로 시간을 늘리려고 노력하라.

(많은 사람들이 취미와 관심사를 위한 시간을 내기 시작할 때, 삶의 속도가 느려지기 시작하여 더 많은 시간을 가지는 것처럼 보인다는 것을 발견한다는 사실은 매우 흥미롭다. 직접 해보고 당신도 같은 경험을 하게 되는지 알아보라.)

다음 질문은 그 시간에 무엇을 해야 하는가이다. 당신은 이미 선택할 취미와 관심사 목록을 가지고 있을지 모른다. 그런 경우라면 실천하라! 하지만 아직 자신의 진정한 열정과 관심사가 무엇인지 모른다면, 그것을 알아내는 시간을 갖도록 하라. 항상 배우고 싶었던 주제와 활동에 대해 생각하고 탐구하기 시작하라. 아이디어를 얻기 시작할 때까지 공예품점이나 도서관을 방문해서 둘러보라.

일단 어떤 활동을 결정하면, 마지막 도전은 시간을 할애하고 자신을 밀어붙여서 그것에 헌신하는 것이 될 것이다. 당신이 대부분의 사람들과 같다면, 아마도 바쁘거나 스트레스를 받았을 때 그것을 옆으로 치워놓고 미루고 싶은 유혹을 느낄 수 있다. 하지만 그렇게 하는 것을 피하도록 노력하라. 왜냐하면 바로 그럴 때가 정말로 그것을 할 필요가 있는 때이기 때문이다. 당신은 열정을 일으키고, 가능한 한 자주 불을 붙여야 한다. 그러니 "나만의 시간"을 매우 진지하게 갖도록 하라. 자기 자신과 약속하고 극단적인 비상사태를 제외하고는 반드시 약속을 지켜라.

열정을 최우선으로 삼을 때 무엇을 기대할 수 있을까?

당신은 놀랄지도 모른다! 우선, 당신은 더 행복해질 것이다. 행복하고 열정적인 감정이 당신의 전반적인 주파수로 스며들어 멋진 것들을 끌어당기기 시작할 것이다. 더 많은 시간을 열정에 빠져라! 앞서 언급했듯이, 시간이 느려지는 것 같고 좋아하는 일을 하는 데 시간을 할애할 기회가 많아지는 것을 알게 될 것이다. 또, 전보다 더 평범한 다른 활동을 즐기게 될 수도 있다. 새로운 친구나 낭만적인 관심을 끌어들일 수도 있으며, 더 많은 돈을 벌 수도 있다.

사실, 열정에 젖어 있는 동안 멋진 일이 일어나더라고
놀라지 마라. 그 결과는 며칠 동안 지속될 수도 있다. 무엇이
든지 가능하다. 그러니 페인트 붓을 집어 들고, 피아노를
치고, 카메라를 잡고, 당신이 선택한 매체가 무엇이 되었든
간에 그 열정의 감정을 흐르게 하라.

4. 감사하라, 기적이 일어난다

전에도 여러 번 들어본 적이 있겠지만, 감사는 당신이 뜻대로 할 수 있는 가장 강력한 도구 중 하나라는 것은 매우 심플한 진실이다. 감사를 실천해도 좋은 결과를 얻지 못하는 이유는 대개 감사에 온전한 주의를 기울이지 않기 때문이다. 감사를 당신이 제시하는 것을 그대로 반영하는 거울처럼 생각하라. 감정과 힘을 많이 쏟아보라. 그러면 똑같이 강렬한 결과를 얻을 수 있다.

조금 감사하면, 조금 감사할 결과를 얻는다. 깊이 감사해보라. 그러면 기적이 하나하나 당신의 삶에 확대되는 것을 보면서 경외감을 느끼게 될 것이다.

감사의 가장 큰 장점은, 보통 결과를 보는 데 오랜 시간이 걸리지 않는다는 점이다. 모든 사람과 인생의 모든 것에 대해 하루를 온전히 강하고 진실한 감사의 감정을 쏟아부을 수 있다면, 어느 날 당신의 인생 전체가 바뀔 것이다. 당신 자신에게 끌려올 모든 위대한 것들이 믿겨지지 않을 정도로.

사실, 그것은 감사를 실천하는 가장 간단한 방법 중 하나이다. 단 하루만이라도 실천해보라! 아침에 일어나면 인생의 모든 축복에 대해 깊은 감사를 표하겠다고 스스로 약속하라.

먼저 가족, 친구, 직장, 차량, 집, 반려동물과 같이 확실한 것에 대해 생각해보라. 단지 "생각"하는 것으로 그치지 말고, 대신 완전히 집중하고 그 대상이 당신의 삶에 얼마나 기여하는지 확인하라. 만약 그것을 빼앗기면 어떻게 느껴질지 상상해보라. 그리고 그것이 당신의 삶에 있는 것에 무릎

이 떨리도록 감사의 물결을 느껴보라.

하루를 보내면서, 보고 만지고 경험하는 모든 것에 감사하는 마음을 가져라. 심지어 "나쁜" 것에도! 모든 상황에서 진심으로 감사할 만한 한 가지를 찾아서 그것에 집중하라. 길을 가는 동안 자신의 다리에 감사하라. 숨을 쉬면서 폐에 감사하라. 먹는 음식에 감사하고 당신을 둘러싼 아름다운 세상과 만나는 사람들, 당신이 갖는 경험, 모든 것에 감사하라!

이 기법을 재정적 상황에도 여러 가지로 적용할 수 있다. 당신이 받는 모든 동전 한 닢, 그리고 풍요와 관련된 모든 것에 대해 진심으로 감사하라.

이 기법을 정직하게 시도하면, 그것이 얼마나 강력한지 빠르게 깨닫게 될 것이기에 일상의 습관으로 삼게 될 것이다. 핵심은 단순히 정신적으로 생각하는 것만이 아니라, 실제로 감사하는 감정을 **느끼는** 것이다. 완전히 숙달하려면 약간의 연습이 필요할 수도 있지만, 이것은 결국 당신의 삶을 바꿔줄 것이다.

5. 원하는 것을
시각화하라

시각화는 매일 매일 사용해서 원하는 것을 끌어당기는 데 도움을 얻을 수 있는 또 다른 강력한 도구이다. 그리고 시각화는 정말로 쉽다! 시각화를 효과 있게 만드는 비결은 **즐기면서** 하는 것이다. 진정으로 보고 있는 이미지 속으로 빠져들어 가라. 꿈에 그리던 집을 갖거나 새 차를 사면 어떤 기분이 들지 상상해보라. 무엇이든지 좋아하는 것에 쓸 돈과 그것에 함께 따라올 자유를 가졌다고 상상해보라. 가까운 가족과 친구에게 현금을 주고, 원하는 대로 물건을 사줄 수 있다고 상상해보라. 이국적인 곳에서 휴가를 즐기는 것을 상상해보라. 청구서를 쉽게, 제 때 지불하는 것을 상상해보라. 은행 계좌에 훨씬 더 많은 예금이 들어 있다고 상상해보라.

시각화의 가장 좋은 점은 당신이 좋아하는 새로운 미래의 어떤 모습에도 집중할 수 있다는 점이다. 예를 들어, 우편으로 수표를 받거나, 보수가 큰 새 직장을 상상함으로써 돈이 실제로 당신 삶 속으로 들어오는 것을 시각화할 수 있다. 또는 정기적으로 많은 돈을 지속적으로 받고 있는 상태에서 자신의 삶이 어떤 모습이 될지 상상해볼 수 있다. 멋진 새 집의 방을 둘러보거나, 아름다운 테라스에서 휴식을 취하는 모습을 상상해볼 수도 있다.

이상적인 직업, 가정생활, 사회활동 또는 경험하고 싶은 무엇이든지 시각화할 수 있다. 특정 상황을 확대하거나, 한 걸음 물러서서 더 큰 그림을 볼 수도 있다.

시각화는 마음속에 나만의 영화관을 품고서 마음껏 즐기는 것과도 같다! 원하는 만큼 영화를 만들고 상영할 수 있으며, 출연하는 역할 속으로 스스로 들어갈 수도 있다.

시각화와 함께 즐겁게 놀아라! 시각화를 원하는 것을 얻기 위한 잡일이나 숙제처럼 다루지 마라. 사실, 부정적인 태도로 시각화에 들어가는 것은 시각화의 효과를 확실하게 제거하는 방법 중 하나이다. 반면에, 긍정적인 감정과 가벼운 마음을 이 과정에 올곧이 쏟을 수 있다면, 그것이 얼마나 잘 작동하는지 심지어 당신이 선택한 경험이 물리적 환경으로 나타나기 전에도 얼마나 기분이 좋아지는지 놀라게 될 것이다!

6. 확언하라

　확언(確言)은 마음을 더 큰 풍요와 기쁨으로 바꾸는 데 도움이 되는 또 다른 강력한 도구다. 확언은 효과적으로 사용하는 비결은 두 가지다. 끊임없는 반복과 강하고 긍정적인 감정!

　확언은 잠재의식에 직접 작용하며 낡고 뿌리 깊은 믿음을 바꾸는 데 도움을 준다. 하지만 믿음이란 단순히 스스로 반복하고 또 반복해서 당신에게 "진실"이 되는 생각에 지나지 않는다는 사실을 기억하라. 따라서 그러한 오래된 제한적인 믿음을 더 나은 것으로 바꾸는 데는 다소 시간이 걸릴 수도 있다.

예를 들어, "나는 쉽게 풍요를 끌어당긴다."라는 확언을 암송하기 시작한다고 하자. 평생을 결핍과 부족에 집중해 왔다면, 당신의 잠재의식은 그 말을 거짓말처럼 느끼고 이 새로운 생각에 저항할 것이다. 잠재의식은 끊임없이 "나는 돈이 충분하지 않아. 나는 앞으로 나아갈 수 없어. 나는 항상 연체하고 말아. 신용카드가 초과됐어." 이런 식의 믿음을 반복할 것이다.

그리고 실제로, 이것이 당신이 외적인 삶을 바라보는 현실일 수도 있다. 하지만 외부 환경은 내적 신념의 직접적인 **결과**라는 것을 중요하게 이해해야 한다. 이런 믿음이 다른 사람(예를 들면 부모님)에 의해 주어졌든 스스로 창조한 것이든 간에, 당신은 새로운 신념으로 오래된 믿음을 덮어 쓸 필요가 있다. 그리고 그렇게 하는 데는 시간이 걸릴 수도 있다.

좋은 소식은, 만약 "나는 풍요를 쉽게 끌어당긴다. 나는 항상 충분한 돈을 가지고 있다. 많은 공급원으로부터 돈이 내게 다가온다." 등과 같은 생각을 되풀이하면, 잠재의식은 그 생각을 믿기 시작할 것이고, 당신의 외부 환경은 새로운 믿음을 지원하기 위해 달라지기 시작할 것이다.

더 중요한 것은, 그 과정에 강하고 긍정적인 감정을 주입하면 확언에 훨씬 더 많은 힘이 실린다는 것이다. 예를 들어, "나는 항상 필요한 모든 돈을 가지고 있다."라는 확언을 암송하면서 행복하고 평화로운 감정을 느끼면, 이 진술의 "진실성"이 잠재의식에 직접 전달된다. 왜? 잠재의식은 당신이 진짜 경험하고 있는 것과 상상하는 것의 차이를 **알 수 없기** 때문이다. 강한 감정을 느끼면서 반복적으로 생각할 때, 잠재의식은 그 메시지를 흡수한다.

아이러니하게도, 이것이 결핍과 부족의 신념이 형성되는 방식이다! 당신은 다음과 같이 생각한다. "나는 절대로 돈이 충분하지 않아. 돈을 충분히 버는 것은 정말로 어려워. 나는 항상 원하는 것을 갖기 위해 투쟁해야 했어..." 그러면서 동시에 수많은 부정적인 감정을 흘려보낸다. 따라서 잠재의식은 "이것은 사실임에 틀림없어."라고 받아들일 수밖에 없다.

　좋은 소식은 생각하고 느끼는 것을 의식적으로 통제할 수 있다는 것이다. 부정적으로 생각하고 느끼는 습관이 있다고 해도 언제든지 바꿀 수 있다! 바꾸는 것은 단지 하나의 과정일 뿐이며, 따라서 시간을 할애하기만 하면 된다.

7. 새로운 페르소나를 착용하라

앞서 말했듯이, 처음에는 자기 자신에게 거짓말을 하는 것처럼 느껴질 수도 있다. 확언이나 시각화(또는 다른 도구)를 처음 사용하기 시작하면 다른 사람의 옷을 입고 있는 것처럼 불편함이 느껴질 수 있다. 뭔가 올바르지 않다는 느낌이 드는 것이다. 불편함이나 불안, 어리석음이나 당혹스러움, 심지어 참을 수 없을 것 같은 느낌 등이 작거나 크게 올라올 수 있다.

이것은 당신이 기존의 신념에 도전하고 있기 때문이다.

잠재의식은 "이봐 잠깐만, 이건 내가 아는 현실이 아니야. 이 퍼즐 조각은 다른 나머지 부분과 전혀 맞지 않아."라고 말한다.

이 시점에서 어떤 이들은 효과가 없다고 생각해서 기법을 사용하는 것을 중단할 것이다. 그러지 마라! 그런 기이한 느낌이 올라오기 시작한다는 것은 당신이 잠재의식에 큰 반향을 불러일으키고 있다는 좋은 신호이다. 당신은 자신에게 도움이 되지 않는 낡은 신념에 도전하고 있으며, 계속 나아간다면 그것을 뒤엎을 수 있다.

이 과정을 돕기 위해, 매일 몇 분 동안(또는 가능하다면 더 오래) 새로운 페르소나(persona)를 연습할 수 있다. 잠시 시간을 내서 자신이 누구인지 생각해보라. 당신은 외모, 하는 일, 그리고 인생 상황에 상응하는 정신적인 자기 이미지를 가지고 있다.

이제 더 많은 돈이나 더 좋은 직장, 인기 사업, 더 나은 인간관계, 새로운 거주지 등과 같이 당신의 삶에 끌어당기고 싶은 것에 대해 생각해보라. 지금 당신은 그런 상황 속으로 매끄럽게 들어갈 수 있는 그런 사람인가? 정말로 원하는 직업을 갖고 멋진 차를 운전하면서 큰 집에서 살고 있는 자기 모습을 볼 수 있는가?

현재의 자아상을 당신이 원하는 새로운 상황에 맞추기가 어려울 수 있으며, 그것은 정상적인 것이다. 대부분의 사람들은 아직 자신이 원하는 현실에 편안하게 맞을 사람으로 발전하지 못했기 때문에 이것을 경험하게 된다. 사람들은 오랜 세월 그렇게 살아왔기 때문에 현재의 현실에 더 편안해 한다.

그러나 새로운 환경에 처하게 될 사람의 입장에 정신적으로 발을 들여놓음으로써 새로운 현실을 쉽게 "시도"할 수 있다. 예를 들어, 은행에 많은 돈을 예치하고자 한다면, 하루 종일 규칙적으로 원하는 액수의 돈이 은행 계좌에 들어 있는 것을 상상해보라. "와아, 맞아. 지금 내 은행 계좌에 5만 달러가 들어 있어."와 같이 말해도 좋다. 그런 다음 정말로 그런 것처럼 느껴보라. 이런 생각이 당신 자신을 조금이라도 변화시키지 않는가? 조금이라도 발걸음이 가벼워지고 어깨가 뒤로 젖혀지지 않는가? 조금이라도 스트레스가 사라지는 것이 느껴지지 않는가?

이렇게 처음 몇 차례 하면서 이상한 기분이 들더라도 놀라지 마라. 잠재의식이 "오, 거짓말쟁이! 그런 돈이 없다는 걸 알잖아! 누구를 바보라고 생각하는 거야?"라는 식으로 비명을 지를 것이다. 그런 소리에 귀 기울이지 마라. 그 작은 소리를 무시하거나 그냥 즐기도록 하라. "아, 하지만 곧 더 많은 돈을 가질 거야. 그것이 오고 있다는 걸 난 알아. 단지 액수를 맞추려고 할 뿐이야."라는 식으로 대꾸해도 좋다.

이 기법의 가장 큰 장점은 자신이 "거짓말"하고 있음을 알고 있더라도 효과를 발휘한다는 것이다. 그것은 당신이 이미 원하는 것을 "가지고 있는 것처럼 행동"하는 것을 막지 못한다. 그리고 이미 원하는 것을 가진 사람의 생각과 감정을 발산하면서, 당신은 바로 그것을 끌어당기기 시작한다!

설사 이렇게 하는 것이 이상하게 느껴지더라도, 적어도 하루에 한 번은 이 기법을 실천하는 것이 좋다. 더 많이 할수록 더 쉬워지며, 실제로 아주 재미있을 수도 있다!

재미있는 게임처럼 보이게 하는 데 도움이 되는 몇 가지 아이디어가 있다.

- 운전하고 나서 차에서 나올 때 마치 최고급 리무진에서 내리는 척하라. 디자이너가 만든 옷을 입고 레드 카펫에 발을 들여 놓으면서 카메라를 향해 웃는다고 상상하라. 설사 유명인 되고 싶은 마음이 없다고 하더라도, 즐거운 마음으로 해보라. 당신이 곧 웃게 될 거라고 보장한다.

- 쇼핑할 때, 원하는 무엇이든지 살 수 있는 충분한 돈을 가지고 있는 척하라. 통로를 오르내리면서 "와, 진열대에 있는 모든 걸 살 수 있는데도, 돈이 바닥나지 않는구나."라고 생각하라. 친구와 가족을 위해 값비싼 선물을 사러온 것처럼 가장하라. 또는 당신을 위해 새 옷장을 사거나, 주방에 최고의 음식과 요리용품을 들여놓으려는 것처럼 하라.

- 밤에 잠자리에 들면, 꿈에 그리던 집에서 멋진 침대에 누워 있다고 상상하라. 이상적인 침실이 어떻게 생겼는지

생각하고, 지금 거기에 있는 것처럼 행동하라. (눈을 감으면 쉽게 할 수 있다!) 그런 다음 마음속에서 침실을 나와 복도를 지나 집안 전체를 둘러보면서 어떻게 보이는지 주목하라. 그곳에 있는 기분이 어떠한가? 이 또한 즐기면서 하라! 더 현실적으로 만들수록, 실제 창조에 더 많은 힘이 실어진다.

이 새로운 페르소나를 "착용"하고 새로운 환경 속으로 들어갈수록, 잠재의식이 새로운 현실을 받아들이는 것이 더 쉬워지며, 원하는 것을 더욱더 쉽게 끌어당길 수 있을 것이다.

8. 핵심 신념을 바꿔라

　확언에 관한 부분에서 신념에 대해 잠깐 언급했지만, 당신이 다루지 않을 경우, 인생에서 어떤 지속적인 변화의 수준을 달성하는 것을 거의 불가능하게 만드는 다른 믿음이 있다. 그리고 그것이 바로 "핵심 신념(core beliefs)"이다.

　핵심 신념은 현실에 대한 당신의 전체적인 시각을 형성하는 믿음이다. 이런 신념은 대개 아주 어렸을 때 형성되기 시작하며, 평생 동안 계속해서 강화된다.

돈에 관한 핵심 신념을 예로 들어보자.

부모님이 열심히 일하면서도 생계를 유지할 정도의 수입만 올렸던 가정에 자랐다면, 아마도 돈을 벌기는 어렵다고 강하게 믿고 돈에 대한 욕구도 많지 않을 것이다. 이런 믿음을 가진 사람에게는 부족과 절약이 정상적으로 보일 것이며, 기본적인 생존을 위해 실제 필요한 것보다 훨씬 더 많은 것을 가진다는 "부"의 개념이 낯설게 느껴지고 심지어 불편하기까지 할 것이다.

이런 신념은 매우 흔하기 때문에 예로 삼은 것이다. 이 책을 읽는 많은 사람들은 근면하고 평균적인(또는 그 이하의) 가정 출신일지 모른다. 내가 그것을 어떻게 알까? 쉽다. 부유한 의식을 가진 환경 출신인 사람은 아마 이 책을 전혀 읽지 않을 것이기 때문이다. 풍요를 끌어들이는 것은 그들에게는 완전히 자연스러운 일일 것이다. 왜냐하면 그들은 그러한 현실을 뒷받침하는 신념을 가지고 있기 때문이다.

이와 같이 결핍에 기초한 핵심 신념 하에서, 확언과 시각화는 어떤 변화를 볼 수 있을 만큼 효과를 발휘하지 못할 수 있다. 그것은 마치 키가 작은데 크다고, 사실은 남자인데 여자라고 스스로를 설득하려고 하는 것과 같다. 핵심 신념은 자신의 정체성에 관한 내밀(內密)한 부분이므로, 그것을 바꾸는 데는 좀 더 많은 노력이 요구된다.

앞서 언급했듯이, 핵심 신념의 대부분은 오래 전에 형성되었지만 다른 모든 신념과 동일한 방식으로, 즉, 잠재의식에 스며들어 "진실"로 굳어질 때까지 특정한 생각을 반복해서 되풀이함으로써 형성되는 것이다.

따라서 그런 믿음을 바꾸려면 단순히 더 나은 생각을 하는 습관을 가질 필요가 있다. 확언에 관한 부분에서 설명한 것과 동일한 프로세스를 사용하라. 자신에게 "진실"이 되기 바라는 문구를 암송하고, 그것에 대해 강하고 긍정적인 감정을 느껴라.

핵심 신념에 영향을 미치는지 여부를 알 수 있는 좋은 방법으로 다음과 같은 것이 있다.

당신이 진실이라고 믿는 진술의 목록을 만들어라. 예를

들어, "나한테는 모든 게 항상 제대로 되지 않는다. 돈을 벌기가 힘들다. 경제적으로 나아질 것 같지 않다."와 같은 진술을 썼다고 하자. 그런 다음 자신에게 이런 말을 할 때 어떤 기분이 드는지 주의 깊게 살펴보라. 정말로 진실이라고 느껴지는가? 아마도 처음에는 그럴 것이다. 그것은 당신이 그 말을 믿는다는 것을 의미한다. 핵심 신념을 바꿔가면서, 당신은 이런 진술을 반복하는 것이 의심이나 저항의 감정을 일으킨다는 것, 더 이상 완전히 진실하지는 않은 것처럼 느껴진다는 것을 알아차리기 시작할 것이다.

이제 당신은 "나는 정말로 운이 좋다. 돈은 쉽게 나를 찾아온다. 나는 다른 많은 출처로부터 돈을 받는다."와 같이 조금 더 힘을 주는 믿음을 쓸 수 있다. 핵심 신념을 바꾸는 작업을 해나가면서, 이런 긍정적인 진술이 보다 더 "실제"처럼 느껴지기 시작할 것이다. 확언을 말하는 것이 당신에게 반향을 불러오고, 진실처럼 느껴진다. 이것은 당신이 이 새로운 것이 진실이라는 핵심 신념을 창조하고 있다는 것, 그리고 그것을 지지하는 경험을 훨씬 더 쉽게 끌어당길 수 있다는 것을 의미한다!

9. 최고를 기대하라

최악의 상황을 예상해본 적이 있는가? 어쩌면 면접을 보기 전에 "이 면접을 망치면 어떡하지? 어쨌든 나를 고용하지는 않을 거야. 나보다 더 나은 지원자가 있을 게 틀림없어."와 같은 생각에 사로잡힌 적이 있을 수도 있다.

또는 큰 목표를 세우고 그것을 향해 나아가기 시작할 때, "이것은 효과가 없는 것 같아. 내가 원하는 결과를 얻지 못하고 있어. 아마도 시간낭비가 될 거야. 내가 하는 일이 다 그렇지 뭐."와 같이 생각할지도 모른다.

기대(예상)에는 많은 힘이 있다! 사실 기대(예상)는 믿음만큼이나 강력하다. 일반적으로, 기대(예상)하는 대로 얻게 마련이다. 문제는, 당신이 보통 무엇을 기대(예상)하느냐는 것이다.

당신은 매월 청구서를 지불하는 데 어려움을 겪을 것으로 예상하는가? 일이 잘못될 거라고 예상하는가? 버려지거나, 조롱당하거나, 거절당할 것이라고 기대(예상)하는가?

잠시 시간을 내서 기억에 남는 인생 경험을 생각해보라. 기대가 운전석을 차지하고 앉아서 당신이 예상했던 결과를 정확히 가져왔었던 많은 실례를 생각해낼 수 있을 것이다.

좋은 소식은, 동일한 힘을 이용해서 더 나은 것을 의도적으로 선택할 수 있다는 것이다.

당신이 직면하는 모든 상황에서, 어떤 결과를 경험하고 싶은지 스스로에게 물어보라. 그런 다음 그렇게 될 거라고 기대하라.

예를 들어, 목표를 향해 계속 노력하면서 "나는 이것이 완벽하게 잘 될 것임을 안다."는 말을 암송하라. 또는 면접 때문에 긴장될 때 "이것은 굉장한 일이 될 것이다. 나는 최선을 다할 것이며 쉽게 일자리를 얻게 될 것이다."는 말을 반복하라.

당연히, 재정에 대해서도 똑같이 할 수 있다. 부유해질 것이라고 기대하라. 모든 면에서 풍요로워질 것으로 기대하라. 돈과 큰 기회가 쉽게 찾아올 것이라고 예상하라. 청구서를 쉽게 지불할 수 있을 것으로 기대하라. 원하는 것을 살수 있을 것이라고 예상하라.

최고를 기대하는 습관을 가질수록, 더 많이 받게 될 것이다!

동시에, 부정적인 기대를 극복할 때도 이 전략을 쓸 수 있다. 예를 들어, "내가 왜 재정 상태를 개선하려고 노력하는지 모르겠다. 어차피 잘 되지도 않을 텐데!" 이런 식으로 비관적인 사고방식을 취하고 있다는 것을 알게 되면, 그

자리에서 즉시 멈추고 생각을 전환하라. "아직 큰 성과를 얻지 못했을지 모르지만, 나는 이 모든 노력이 곧 결실을 맺을 것이라는 걸 알고 있다. 나는 지금 이 순간에도 상황이 내 편으로 돌아서고 있다는 확증을 받을 것으로 기대한다."

다시 말하지만, 이것이 완수되려면 시간이 걸릴 수 있다. 하지만 더 많이 할수록 더 빨리 결과를 볼 수 있다.

10. 기쁜 마음으로
베풀어라

아마도 당신은 베푸는 것이 삶에 더 많은 풍요를 끌어들이는 또 다른 강력한 방법이라고 들어봤을 것이다. 하지만 다른 이들보다 더 잘할 수 있는 몇 가지 방법이 있다.

먼저, 받기 위해 또는 일정 시간 내에 다시 돌아올 것이라는 기대로 주어서는 안 된다. 베푸는 것의 목적은 자신의 기분을 좋게 하는 것이다. 주는 것이 기분을 좋게 할수록 더 많은 보상이 돌아온다.

기쁜 마음으로 주는 것은 두 가지를 성취한다.

첫째, 당신에게 의미 있는 방식으로 베풀면 기분이 정말 좋아진다. 당신에게 중요한 원인을 부여하고, 절실하게 필요로 하는 사람을 돕거나 심지어 익명으로 주는 것도 좋은 추억을 만들어내고, 우주로부터 오는 보상을 촉발시키는 훌륭한 방법이다.

둘째, 이런 식으로 줄 때 당신은 명확한 풍요의 메시지를 우주에 보내고 있다. 당신은 "나는 많은 돈을 가지고 있으므로, 다른 사람들과 즐겁게 나눈다."고 말하고 있다. 우주는 그 말을 "나는 많은 돈을 가지고 있으며 나누는 것을 좋아한다. 그러니 더 많이 즐기고 나눌 것을 내게 보내다오."라고 해석한다. 그리고 당신이 즐기고 공유할 많은 돈을 가지도록 당신의 물리적 환경을 바꾸기 시작한다!

그러나 이 과정은 또한 당신의 삶에서 성장하고 발전하는데 시간이 걸릴 수 있다는 점에 유의하라. 특히 다른 이들에게 주는 것에 대해 몇 년씩 생각했어도 당신이 충분히 가지고 있지 않다고 느껴서 억눌러 왔었다면 더욱 그러하다.

마음이 편해진다면, 먼저 적은 양을 주는 것부터 시작하라. 하지만 그 양이 더 큰 것이라고 상상하고, 만약 상당한 양의 기부를 한다면 느낄 수 있을 것 같은 느낌을 가져보라. 5달러를 기부하면서 500달러를 준다고 상상해보라. 팁으로 1달러를 주면서도 100달러를 주는 척하면서 그 돈을 받는 사람의 얼굴에 놀라움과 기쁨이 떠오르는 것을 그려보라.

재정적인 측면 외에 다른 방법으로도 할 수 있다. 당신의 지지와 격려, 사랑, 시간과 에너지에 있어 관대하게 베풀어라. 매일 다른 사람들과 이런 자지를 나누면서, 우주가 당신에게 똑같은 것을 더 많이 돌려주고 있다고 확언하고 또 그렇게 알라.

11. 풍요 속의 평화

　하루하루의 감정 상태는 당신의 전반적인 재정적 이미지에 강력한 영향을 미친다. 끌어당김의 법칙이 실제로 작동하는 방식을 생각해보면, 생각과 감정, 신념이 모든 우주로 보내지는 당신의 에너지 "진동"에 영향을 미친다는 사실을 알 수 있다. 그러면 우주는 당신의 진동에 맞춰 그에 상응하는 상황과 사건을 보내면서 반응한다.

　대부분의 시간 동안 당신의 감정 상태는 어떠한가? 돈에 대해 끊임없이 스트레스를 느끼는가? 매일같이 청구서를 지불하는 일에 대해 걱정하는가? 텅 빈 지갑이나 은행 계좌에 집착하는가? 이런 감정적 반응은 당신 삶의 빈곤과 결핍 주기를 지속시킬 것이다. 왜냐하면 당신의 진동이 그와 똑같은 것을 "요구"하고 있기 때문이다!

다른 한편으로, 은행에 돈이 많다면 날마다 어떻게 느끼게 될지 생각해보라. 불안하거나 두려움을 느낄까? 월말에 청구서를 어떻게 지불해야 할지 걱정할까? 아니, 그 반대가 된다. 당신은 돈에 대해서 평화로우며, 전반적인 재정적 태도는 평온하고 긍정적인 것이 될 것이다.

실제로 돈은 문제가 되지 않으며, 당신은 돈에 대해서는 거의 생각하지도 않게 된다! 재정적인 모든 것이 잘되고 있다는 것을 알고 하루하루의 활동에 집중할 것이다. 다시 말해, 당신은 내면의 평화를 중심으로 하루하루를 살아갈 것이다.

지금 바로 그렇게 할 수 있다. 이런 식으로 감정 상태를 의도적으로 바꾸기 시작하면, 우주에 보내지는 진동이 달라진다. 그러면 우주는 그 진동에 맞도록 당신의 물리적 환경을 변화시킨다!

인생에 풍요를 끌어들이는 가장 빠르고 쉬운 방법 중 하나는 원하는 것을 이미 가지고 있는 것처럼 느끼고 행동하는 것이다.

지금 당장 시작하라. 매일 몇 분씩, 이미 많은 돈을 가지고 있다면 갖게 될 감정을 느껴보는 시간을 가져라. 은행 계좌에 담고 싶은 액수를 상상하고 그것이 현실로 이루어진 느낌 속으로 들어가라. 원한다면 긍정적인 자기 대화를 통해 도움을 받을 수 있다. 예를 들어, "재정적으로 안전하다는 것이 너무 좋다. 나는 내 요구를 감당할 돈이 많다는 사실이 좋다. 나의 세상에서는 모든 것이 잘 되고 있으며, 나는 그 사실에 깊이 감사한다."와 같이 말할 수 있다.

이것은 처음에는 연습이 필요하지만, 결국 당신은 다른 감정이 몸을 장악하는 것을 알아차리기 시작할 것이다. 근육의 긴장이 풀리고, 더 편안하고 평화롭게 느끼게 된다. 머지않아, 마음대로 할 수 있는 많은 돈을 가지고 있음을 아는 지경에 이른다. 비록 물리적 세계에는 아직 나타나지 않았지만, 곧 돈이 올 거라는 것을 알게 되며, 은행 계좌와 지갑에 더 많은 돈이 들어가는 것을 상상하는 것이 자연스러워진다. 그리고 물론, 이 기법을 마스터하면 정말로 원하는 돈을 가지기까지는 그리 오랜 시간이 걸리지 않는다.

더 나아가서 당신은 돈 외에 다른 삶의 영역에서도 이 기술을 사용할 수 있으며, 그것은 여전히 당신의 재정 상황에도 긍정적인 영향을 미칠 것이다! 예를 들어 직장에서 스트레스를 받는다면, 스트레스를 주는 생각과 감정을 의도적으로 내려놓고 평온하고 평화로운 척하는 것이 좋다. 인간관계, 건강, 사회활동 등에서도 마찬가지로 똑같이 할 수 있다.

평화와 웰빙을 위한 그릇이 되어라. 그러면 그 느낌이 삶의 모든 영역을 변화시킬 것이다.

12. 긍정성을 강화하라

　마음이 결핍 상태에 빠지고, 그래서 결국 똑같은 것을 더 많이 끌어당기는 것이 얼마나 쉬운지 두려울 정도다.

　당신은 이런 짓을 얼마나 많이 해왔는가? 예상치 못한 청구서를 받았는데 지금 당장 지불할 돈이 없다. 그리고 그것이 당신을 걱정과 두려움의 쳇바퀴로 몰고 간다. 처음에는 예상하지 못한 청구서를 지불하지 못할까봐 걱정하기 시작하지만, 그 사실을 알기도 전에 당신은 부서지거나, 또는 잘못될지도 모를 다른 것에 대해서 걱정한다. 심지어 직장의 안전과 재정상의 전반적 안정에 대해서 걱정하기 시작할 수도 있다. 이 모든 것은 예기치 않은 청구서를 받았기 때문이다.

이것은 확실히 두려운 상황이 될 수 있지만, 걱정과 두려움의 상태로 들어가는 것은 상황을 더 악화시킬 뿐이다. 실제로, 한 가지 일을 걱정하기 시작했을 때 얼마 지나지 않아 점점 더 많은 일이 잘못되기 시작한다는 것을 알아차린 적이 있을 것이다.

좋은 소식은 이것이 반대로도 작동한다는 것이다!

뭔가 잘못되었을 때 걱정하기보다 그것을 긍정적인 것으로 바꿔라! 당신의 생각과 감정이 온갖 종류의 기적을 당신 삶에 끌어들일 수 있다는 것을 기억하라. 받기 위해 마음을 열기만 하면 된다. 이를 위한 방법은 여러 가지가 있지만, 오늘부터 긍정적인 출발을 강화할 수 있는 몇 가지 간단한 방법이 있다.

흥분하라.

당장 지불할 수 없는 예상치 못한 청구서를 받거나, 심지어 매월 정기적으로 나가는 비용 때문에 고생하고 있더라도 흥분과 행복한 상태로 들어가서 그것을 더 많은 돈을 끌어당기는 기회로 삼아라. "이것을 어떻게 낼 수 있을까?" 걱정하기보다 쉽게 지불할 수 있는 돈을 받게 될 거라고 확언하고 또 믿어라. "좋아! 498달러 청구서를 받았어. 이것은 내가 곧 그 이상의 돈을 받을 수 있다는 의미야! 내 청구서는 언제나 쉽고 빠르게 지불되며, 이것도 역시 그렇게 될 것이다. 감사합니다!"라고 말하라. 항상 비용과 그 이상을 충당할 충분한 돈이 있음을 알게 되면 갖게 될 느낌을 자신에게 허용하라. 그런 다음 그것을 마음에서 꺼내 마치 이미 끝난 거래처럼, 청구서가 이미 전액 지불된 것처럼 행동하라. 이런 식으로 일관적으로 행동하면, 당신은 우주에 "나는 항상 필요한 모든 것 이상으로 충분한 돈을 가지고 있다."고 말하고 있으며, 우주는 그 현실을 계속해서 정확하게 반영할 것이다.

받는 것에 초점을 맞춰라.

우리 대부분은 지불해야할 청구서와 같이 "부정적인" 것에 강박적일 정도로 초점을 맞추지만, 다양한 출처에서 받는 돈과 같이 "긍정적인" 것에는 거의 집중하지 않는다. 예를 들어, 월급을 받으면 어떻게 생각하는가? 그것으로 충분할지에 집중하는가? 월급의 대부분이 채권자에게 가게 될 것이라는 사실에 화를 내는가? 당신이 하는 일에 비해 월급이 적거나 자신이 과소평가되고 있다고 느끼는가? 예상치 못한 돈을 받았을 때는 어떤가? 감사하고 축복받은 기분이 드는가, 아니면 여전히 갖지 못한 것에 집중하는가? 아무리 작더라도 당신이 받는 모든 돈에 대해 강하고 긍정적인 감정을 발산하는 습관을 들여라. 그리고 점점 더 많은 것이 당신 삶 속으로 흘러들어오는 것을 보면서 놀라워하라.

마음을 열고 기회를 맞이하라

우리 중 많은 이들이 부정적인 것에 초점을 맞추는 또 다른 방법으로, 더 많은 풍요의 가능성에 대해 매우 협소한 시각을 갖는 것이 있다. 우리는 돈을 버는 데에는 일자리나 사업 같이 몇 가지 제한된 방법만이 있다고 생각한다. 그리고 바로 이런 생각이 다른 모든 가능성을 차단한다! 이것을 되돌리는 가장 좋은 방법은 매일 더 많은 풍요를 얻을 수 있는 무한한 기회가 있다고 확언하는 것이다. 크게 소리 내든 마음속으로 말하든 "와우, 나는 여러 가지 방식으로 많은 돈과 다른 형태의 풍요를 받을 수 있다. 오늘 우주는 엄청난 기회로 나를 놀라게 할 것이다!"라고 말하라. 또는 "나는 항상 적절한 시간과 장소에서 풍요를 받는다."라고 말할 수도 있다. 이런 선을 따르는 어떤 확언이든지 당신의 초점을 확장하는 데 도움이 될 것이며, 따라서 당신은 정말로 많은 기회를 만나게 될 것이다.

13. 웃으며 상상하라

웃음은 삶에 풍요를 끌어들이는 가장 강력한 도구 중 하나이다. 말도 안 되는 소리처럼 들릴지 모르지만, 웃음이 왜 효과 있는지 이해하게 되면 그것은 정말로 강력해진다. 아시다시피, 끌어당김의 법칙은 생각과 감정에 반응한다. 다시 말해, 생각과 감정은 당신이 알든 모르든 특정한 유형의 경험을 "요청"한다. 웃고 즐거운 시간을 보낼 때 어떤 기분이 드는가? 마음이 가볍고, 즐거우며 자유롭다. 한 마디로 좋다(good)! 이 정신적 감정적 상태는 더 큰 풍요를 포함해서 그에 상응하는 상황을 즉각적으로 끌어들이기 시작한다.

마찬가지로, 우울하고, 슬프고, 짜증나고, 스트레스를 받는 "부정적인" 감정을 느낄 때에도 당신의 정신적, 감정적 상태는 그에 상응하는 상황을 불러일으킨다.

웃음의 가장 큰 장점은 온갖 형태의 선을 끌어당기기 위해 어떤 특정한 것에 집중할 필요가 없다는 데 있다. 당신은 바보 같은 영화나 텔레비전 쇼를 보고 웃을 수도 있으며, 그것은 무의식적으로 우주에 "나는 기분이 좋다. 기분이 좋아지는 것을 더 많이 보내다오."라는 신호를 보내는 것이다.

그러나 즐겁고 행복한 기분을 느끼면서 재정적 상황에 집중하면 결과를 더 크게 향상시킬 수 있다. 그럴 수 있는 쉬운 방법이 여기 있다.

적어도 하루 한 번은 웃을 수 있는 시간을 따로 마련하라. 물론 더 자주 웃는 것이 좋다. 이를 위해서 재미있는 것을 보고 읽거나, 친구나 가족과 즐거운 시간을 보내거나, 창의적인 상상력이 있다면 재미있는 것에 대해 생각할 필요가 있다. 적어도 10~15분은 웃으면서 좋은 기분을 느껴보라. 그러는 동안 당신의 재정적 상황에 대해 긍정적이고 강한 생각을 몇 가지 던져보라.

예를 들어, 웃고 있는 동안 "와우, 내 인생의 모든 영역, 특히 돈에 있어서 정말로 낙관적인 생각이 든다. 나는 모든 게 나를 위해 잘 될 거라는 걸 알아. 지금 더 많은 돈이 내게로 흐르고 있어. 지금 나는 내 삶에 무한한 풍요를 끌어들이고 있어!"와 같이 생각하라.

또는 은행 계좌 잔고가 더욱더 커지는 이미지를 상상하거나, 청구서를 쉽게 지불하고 예금 계좌에 많은 돈을 가지고 있는 자기 모습을 그려볼 수도 있다. 긍정적이고 낙관적이며 당신의 재정적 상황과 직접적으로 관련된다는 점을 제외하고 정확하게 사고할 필요까지도 없다.

더 나아가서, 이런 일이 "어떻게" 일어날지에 대해서는 걱정할 필요가 없다. 대부분의 경우 자연스럽게 일어날 것이다. 예상치 못한 출처에서 돈이 생기거나, 큰 기회가 당신 무릎으로 떨어지는 것처럼 보일 것이다. 또는 더 많은 풍요를 가져다줄 새로운 사람을 만나게 될 수도 있다. 경우의 수는 정말로 무한하다.

그러나 그것은 모두 긍정적이고 즐거운 마음 상태로 전환하는 것으로 시작되며, 웃음은 그렇게 하는 데 있어 큰 열쇠가 된다.

14. 자신과 대화하라

　지금까지 나는 긍정적 자기대화의 몇 가지 예를 언급했지만, 자기대화는 정말로 강력해서 별도의 섹션으로 다룰 가치가 있다. 실제로, 당신은 외부 환경의 많은 부분이 당신이 주기적으로 자기 자신에게 들려주는 말의 직접적인 결과라는 것을 알면 놀랄지도 모른다!

　우리 모두 때로는 마음속으로, 때로는 입 밖으로 내서 자기 자신과 대화한다. 문제를 통해 자신과 얘기하고("이 문제를 해결하려면 어떻게 해야 할까?"), 해야 할 일과 과제를 상기하며("집에 가는 길에 우유 사는 걸 잊지 말자."), 더 중요한 것으로 현실에 대한 인식을 형성하기 위해 자기 대화를 사용한다.

자기대화는 그에 상응하는 감정 상태를 자동적으로 촉발하고 특정한 기대를 품게 하기 때문에 매우 강력하다.

"뭔가 잘못되었음에 틀림없어. 이런 것은 항상 내게 일어나는 일이야!" 또는 "왜 내 인생을 개선하려고 애써야 하는지 모르겠어. 나는 절대 성공하지 못할 거야."라고 말하는 자신을 본 적이 있는가?

이런 진술은 주의를 기울이면 굉장한 깨달음을 준다. 왜냐하면 그것은 대개 자기 자신과 인생 전반에 대한 깊은 믿음, 그리고 하루하루의 기대를 밝혀주기 때문이다.

주기적으로 부정적인 자기대화를 하는 습관에 빠져 있다면, 당신은 실제로 그와 비슷한 상황을 더 많이 끌어당기고 있다. 다시 말해, 스스로 그런 상황을 요청하고 있는 것이다!

그러나 부정적인 자기대화가 습관이 될 수 있는 것처럼, 긍정적인 자기대화도 습관화할 수 있다! 그렇다. 실제로 모든 형태의 돈과 풍요를 포함하여 당신의 삶에 위대한 것들을 자동적으로 끌어당기도록 스스로를 세팅할 수 있다.

그리고 그렇게 하는 방법은 믿을 수 없을 정도로 간단하다. 자기 자신에 대해 지금보다 훨씬 더 긍정적으로 말하기 시작하라!

아마 알지도 못하겠지만, 당신은 매일 매순간 지속적으로 정신적인 대화를 하고 있다. 대다수 사람들에게는 아마도 다음과 같은 소리가 들릴 것이다. "내 인생은 너무 어려워. 제대로 되는 게 하나도 없어. 돈이 충분하지 않아. 나는 제때 돈을 내려고 힘들게 일하고 있어. 모든 게 너무 힘들어. 이렇게 열심히 일하는 데도 무엇 하나 나아지는 게 없어. 다른 사람들은 너무나 쉽게 가지는데 나한테는 그게 너무 힘들어. 공정하지 않아. 인생은 공평하지 않아...." 더 계속할 수도 있지만, 무슨 말인지 이해했으리라 본다.

이 사람들이 정신적 대화를 다음과 같이 좀 더 건전한

것으로 바꾼다면, 어떤 일이 일어나리라고 생각하는가? "와, 나는 정말 축복받았어! 삶은 정말 대단해. 감사해야 할 게 너무 많아. 나한테 좋은 일이 끊임없이 일어나고 있어. 내게는 좋은 기회가 정말 많아. 나는 내 본능을 믿고 항상 최선의 결과를 이끌어내고 있어. 내 삶의 모든 영역에서 나는 정말로 풍요로워. 나는 내가 원하는 모든 좋은 것을 가질 자격이 있어. 인생은 좋은 거야. 나는 내 인생을 사랑해!"

이 말이 한없이 낙천적인 소리처럼 들리는가? 이것이 환상의 세계에 사는 사람이 하는 생각처럼 보이는가? 믿거나말거나, 이런 식으로 생각할 뿐만 아니라 그렇게 긍정적이고 강력한 태도로 평생을 살아가는 사람들이 많이 있다. 그리고 더 중요한 것은, 그들의 삶이 그런 생각을 반영한다는 것이다! 그들은 실제로 축복받았으며, 그것은 우리 중 많은 이들이 "행운"이라고 부르는 것이다. 그들은 돈도 많고, 친구도 많고, 보람 있는 직업도 가졌으며, 좋은 건강도 가지고 있다. 그리고 기본적으로 그들은 끊임없이 멋진 경험을 끌어당긴다. 그들의 정신적, 감정적 상태는 기쁨을 위한 자석처럼 작용한다.

당신도 똑같이 할 수 있다. 더 좋은 점은, 극단적으로 낙천적인 사람이 될 필요까지는 없다는 것이다. 사실, 조금 더 긍정적일 수만 있다면, 여전히 당신의 인생이 나아지는 것을 볼 수 있다. 매일 자기대화를 통해 긍정적인 자세를 취하려고 노력하는 것, 그리고 점진적으로 노력을 늘려 결국 거의 완전히 긍정적으로 변하는 것, 그리하여 커다란 진전을 이룰 수 있도록 하는 것을 당신의 사명으로 삼기 바란다.

가장 쉽게 시작하는 길은 아침에 몇 분씩 긍정적인 것을 생각하고 말하면서 좋은 마음 상태로 들어가는 것이다. 종종, 하루 전체는 아침에 가장 먼저 생각하는 것으로 그 기조(基調)가 좌우된다. 잠에서 깨어 심술궂고 짜증나는 기분을 가지면, 하루 종일 그렇게 될 가능성이 있다. 반대로, 행복하고 가벼운 마음으로 아침을 시작할 때도 그러하다.

아침에 일어나면, 욕실로 가서 거울을 바라보라. 좋은 친구처럼 인사하라. "안녕! 오늘 어때?" 웃으면서 이렇게 말하라. 그런 다음 당신 자신과 삶에 대해 긍정적인 말을 하라. "오늘 좋아 보이네. 당신은 좋은 사람이야. 그거 알아? 당신은 원하는 모든 것을 가질 자격이 있고, 오늘부터 모든 것을 쉽고 빠르게 끌어당길 거야! 실제로, 오늘은 환상적인 날이 될 거야. 오늘 모든 것이 잘 될 거야. 그리고 잊지 마, 당신은 사랑받고 있어!"

웃지 마라. 정말로 효과가 있다! 처음에는 자신에게 이런 말을 들려주는 것이 정말로 우스꽝스럽게 여겨질지 모르지만, 며칠도 지나지 않아 이 모든 것에 대해 가벼운 마음과 즐거움을 느끼게 될 것이다. (다시 생각해보면, 당신의 진동에 긍정적인 분위기를 더할 수도 있으니까 하고 싶으면 얼마든지 웃어도 좋다!)

밤에 잠자리에 들면, 몇 가지 긍정적인 말을 하라. 예를 들어, "(자기 이름을 부르면서) 알다시피, 오늘 직장에서 네가 그 상황을 처리한 방식이 정말 자랑스럽다. 놀라고 겁낼 수도 있었지만 너는 냉정을 유지했고 결국 모든 일이 잘 풀렸어. 넌 정말 대단해!"

또는 하루 중 수차례 "나는 정말로 내 일을 잘하며, 프로

젝트를 완수할 때 얻는 만족감을 좋아한다."라든가 "나는 매일 배우고 성장하고 있으며 앞으로 매일매일 더 나아질 것이라는 것을 알고 있다!"는 식으로 말하며 자신을 쌓아갈 수 있다.

마지막으로, 동일한 프로세스를 통해 인생 상황에 대해 보다 더 긍정적으로 생각할 수도 있다. "나는 정말로 내 인생을 사랑해. 인생은 정말 좋은 것이야. 나는 정말로 운이 좋아. 감사해야 할 게 너무 많아..." 등등.

요컨대, 긍정적인 자기대화는 두 가지 중요한 수준에서 작용한다. 첫째, 긍정적인 기대를 인생 경험에 부여하고, 둘째, 긍정적인 감정이 흐르도록 한다. 이 두 가지를 결합하면 삶의 모든 영역에서 풍요와 성공을 위한 확실한 레시피가 된다.

15. 매일 한 걸음씩 나아가라

　이 책 내용의 대부분이 당신의 정신적, 감정적 상태를 바꾸는 데 초점이 맞춰져 있다는 사실을 알아차렸는가? 여기에는 중요한 이유가 있다. 마음과 감정은 모든 창조가 시작되는 곳이다! 마음과 감정을 원하는 것에 맞추지 않는다면, 세상 모든 행동이 도움이 되지 않는다. 터무니없이 열심히 일하지만 여전히 내세울 것이 없는 사람들을 생각해 보라. 어쩌면 당신도 그런 사람 중 하나일지 모른다. 나도 그랬었다. 그래서 그것이 얼마나 좌절스러운 것인지 잘 알고 있다.

그러나 행동도 그렇게 나쁜 것은 아니며, 사실 더 나은 방향으로 나아가는 데 큰 도움이 될 수 있다.

따라서 생각을 개선하고 긍정적인 감정과 기대를 선택하는 데 초점을 맞추면서, 매일 재정 상황을 개선하는 데 도움이 될 행동을 한 가지씩 시작할 수 있다. 반드시 커다란 행동일 필요는 없다. 단지 당신이 가고 싶은 방향으로 당신 자신을 움직이게 하는 것이면 된다.

지금 당장 재정 상황을 개선하기 위해 할 수 있는 10가지를 적어보라. 더 이상 필요하지 않은 물건을 팔고, 더 나은 일자리를 신청하고, 저축 계획을 세우고, 장기적인 성장을 위해 돈을 투자하고, 더 많은 직업 훈련을 위해 학교로 돌아가고, 사업을 시작하고, 아르바이트 자리를 얻고, 인터넷 쇼핑몰을 개설하는 등 많은 아이디어가 포함될 수 있다.

이런 행동의 핵심은 모든 것을 혼자서 바꾸려고 애쓰는 것이 아니라, 당신이 원하는 방향으로 나아가기 시작할 때 더욱 힘을 얻게 하는 데 있다. 매일 적어도 한 걸음씩 그

방향으로 나아가기 시작하면, 보통 각각의 연속된 단계가 한결 더 쉬워 보인다는 것을 알게 된다. 그리고 미처 깨닫기도 전에 인생에서 큰 변화를 이룩하고 따라서 기분이 크게 좋아질 것이다.

분명하게 취해야 할 또 다른 행동은 영감을 받은 행동이다. 바로 우주가 특정한 무언가를 하라고 옆구리를 찌르며 속삭일 때를 말한다. 예를 들어, 갑자기 한동안 연락이 끊겼던 친구에게 전화를 걸거나, 보통 때와는 다른 길로 퇴근하거나, 특정한 직업 선택에 대한 정보를 보내도록 영감을 받을 수 있다. 그리고 그것은 당신에게 새로운 가능성의 세계를 열어주는 정확한 움직임이 될 것이다.

행동 자체가 중요하지 않은 것처럼 보일 수 있기 때문에 영감을 받은 행동의 예를 제시하기란 쉽지 않다. 하지만 특정한 행동을 취해야 한다고 "느끼기" 때문에 언제든지 알아차릴 수 있다. 그런 느낌을 받으면, 반드시 따르도록 하라! 종종 그것이 당신을 위한 무언가로 이끌어줄 것이다.

16. 자신 있게 돈을 써라

더 많은 돈을 끌어당기는 데 집중하는 것뿐만 아니라, 당신이 지출하는 돈에 대한 생각과 감정을 바꾸는 것도 중요하다. 잠시 시간을 내서 지금 바로 자신이 소비를 어떻게 바라보는지 생각해보라. 매달 청구서를 충당하지 못하게 될까봐 돈을 쓰지 않으려고 애쓰는가? 아니면 감정적 욕구를 달래기 위해 과도하게 지출하는가? 집주인이나 대출회사, 채권자, 서비스 공급자에게 보내는 돈이 아깝고 화가 나는가?

지출을 바라보는 방식이 당신의 전반적인 풍요에 극적인 영향을 미칠 수 있다. 만약 건강하지 않은 소비 습관을 가지고 있다면(과다한 지출이든 과도한 절약이든), 당신은 더 많은 돈이 당신 삶에 들어오는 것을 방해하고 있는 것이다.

잠시 이 점에 대해 생각해보라. 돈을 빌려주거나 서비스를 제공한 사람과 회사에 돈을 보내는 것을 원망한다면, 돈을 보내는 것을 원망할 수 있는 기회를 더 많이 끌어들이게 된다! 감정적 욕구를 달래기 위해 무모하게 돈을 쓴다면, 더 많은 감정적 공허함을 끌어들이고 있을 것이다. 기본 지출을 충당할 충분한 돈이 없을까봐 돈을 쓰는 것을 두려워한다면, 그 또한 충분한 돈이 없는 상황을 더 많이 끌어들이게 될 것이다!

지나치게 단순화한 말로 들릴지 모르지만, 실제로 끌어당김의 법칙은 이런 식으로 작동한다.

그렇다면, 소비에 있어 건강한 태도는 무엇일까?

간단히 말해서, 충분한 돈을 가지고 있다는 것을 항상

알고 있지만, 자신감 있고 책임감 있게 지출하는 것 사이의 건강한 균형을 맞추는 것이다. 과도하게 지출하지도 말고, 불필요하게 지출을 제한하지도 마라.

이것은 숙달될 때까지 연습이 필요하며 때로는 부담으로 느껴질 수도 있다. 특히 지금까지 건강하지 않은 소비 습관을 가져왔었다면 더욱 그렇다.

하지만 조금 의식적인 행동을 통해 습관을 바꾸는 것은 매우 간단하다. 다음과 같이 시작하라.

- 당신이 매월 돈을 보내는 사람과 회사에 감사하라. 돈을 보내면서 주택담보대출 회사나 집주인에게 깊이 감사하라. 비바람을 피할 수 있는 안전한 지붕을 머리 위에 올려놓도록 도와준 것에 대해 마음속으로 감사하고, 그들에게 돈을 보내게 되어 기쁘다고 확언하라. 전기, 가스, 케이블TV, 인터넷 등 서비스 공급업체에 지불할 때에도 똑같이 하라. 잠시 시간을 내서 당신이 이런 서비스를 얼마나 즐기고 있는지 (실제로 이것은 전 세계 많은 사람들이 누리지 못하는 혜택이기도 하다) 생각해보고, 매달 이러한 사치에 대한

비용을 지불할 수 있는 기회에 감사한다고 확언하라. 집과 차량에 대한 수리비와 유지비를 지불할 때도 똑같이 하라!

- 다른 사람과 돈을 나눠라. 지금 심각한 재정 부족에 처해 있더라도, 자선 단체에 기부하기 시작하라. 한 달에 1달러라도! 기부하면서 다른 사람과 나눌 수 있을 만큼 충분히 가졌다는 사실에 감사하고 행복해 하라. 더 많이 줄 수 없다는 사실에 초점을 맞추지 마라. 우울해질 뿐이다. 대신 긍정적인 측면에만 집중하고 당신의 돈이 가치 있는 대의를 실현할 수 있을 거라고 확언하라. 그러면 좋은 느낌을 받지 않을 수 없으며 결국 더 많은 돈을 끌어들이게 될 것이다.

- 필요하다면 자신 있게 돈을 써라.

지출을 제한하려고 해서 정말로 필요한 것을 사지 않은 적이 있는가? 불필요한 지출을 막는 것도 중요하지만, 정말로 필요한 것을 사지 않는다는 것도 문제가 된다! 그러면 당신이 우주에 보내는 메시지는 이것이 당신 삶에서 거울처럼 반영되기를 바라지 않는다는 것, 결국 필요한 모든 것을 위한 돈이 충분하지 않기를 바란다는 것이 된다. 이런 마음으로 돈을 쓰는 것을 피한다면 필요한 모든 것을 위한 충분한 돈이 들어오지 않는 것도 놀랄 일이 아니다! 이것을 바꾸려면, 필요할 때 돈을 쓰고 우주가 모든 것을 잘 되게 할 것이라고 자신 있게 확언하라. 가끔은 큰 믿음의 도약이 필요하지만, 그럴 때 진정한 기적이 일어날 수 있다.

요컨대, 항상 더 많은 돈이 들어올 것임을 알기 때문에 지출해도 괜찮다는 마음 상태로 들어가라. 그렇다고 해서 카드를 한도까지 긁고 실제 필요하지도 않은 물건을 많이 사라는 얘기는 아니다. 그런 것은 더 많은 문제를 야기할 뿐이다. 하지만 조금씩 더 많은 돈이 오고 있기 때문에 작은 지출에 집착할 필요가 없다는 사실을 납득하라. 그리고 이 사실을 믿을수록, 결국 그것이 절대적인 진실임을 체험하면서 놀라게 될 것이다!

17. 풍요를 위한
공간을 마련하라.

　당신의 재정 상황은 어떤 모습을 보이고 있는가? 돈이 충분히 들어오는지가 아니라, 질서가 있는지 아니면 혼란스러운지 묻는 것이다. 마지막으로 수입과 지출의 균형을 맞춰본 적이 언제인가? 더 이상 필요하지 않은 비용 항목이 있는가? 서류 정리는 잘하고 있는가 아니면 미지급 청구서나 서류를 산더미처럼 쌓아 놓고 있는가? 부채가 얼마나 되는지 정확히 알고 있는가? 확실한 저축과 투자 계획을 가지고 있는가?

나는 이 책 전반에 걸쳐 부족과 결핍에 초점을 맞추는 것은 나쁘다고 언급했지만, 그렇다고 해서 머리를 모래 속에 박고 현재의 현실을 부정하라는 것은 아니다. 사실, 당신은 재정 문제를 정리하고 조직하는 것이 풍요가 흘러들어올 수 있는 큰 공간을 만들어낸다는 것을 알게 되면 크게 기뻐할 것이다!

이 과정에는 세 가지 주요 단계가 있다.

1) 정체를 해소하라.

첫 번째 단계는 삶에 끌어들이고 싶은 풍요를 가로막을 수 있는 모든 요소를 없애는 것이다. 여기에는 더 이상 필요하지 않은 서류를 버리거나, 책상이나 청구서를 쌓아두는 영역을 정리하고, 더 이상 읽지 않는 잡지나 멤버십과 같은 돈 낭비를 제거하는 것이 포함된다.

2) 남은 것을 정리하라.

그런 다음, 재정상의 모든 영역을 조직화하라. 보관해야 할 서류를 정리하고, 손익의 균형을 맞추고, 모든 금융 계좌를 조정하라. 부채가 얼마나 되는지 정확하게 파악하고, 상환 계획을 세우고, 이미 빚이 없다면 저축과 투자 계획을 세워라. 조직화가 중요한 데에는 두 가지 이유가 있다. 첫째, 현재 자신이 어디에 있는지 명확하게 파악하고, 자신이 있고 싶은 위치와 비교하는 데 도움이 된다. 둘째, 조직화는 당신에게 더 많은 힘을 주고 통제력을 갖게 해준다. 사람들은 "모르는 게 약이다"고 말하지만, 재정 문제에 있어서는 절대 그렇지 않다! 부채가 얼마나 되는지 두려워하지 말고 확실하게 파악한 다음 빚을 줄이기 위한 조치를 취하라. 은행에 얼마나 많은 돈이 있는지, 얼마나 많이 갖고 싶은지 또한 마찬가지다.

3) 인생을 정리하라.

이 책은 풍요를 끌어당기는 것에 대한 책이므로 그 분야에서 시작했지만, 삶의 다른 영역에도 동일한 프로세스를 적용할 수 있다. 더 이상 필요하지 않은 물질적 소유물을 없애고, 간직하고 싶은 것을 정리하라. 더 이상 지키고 싶지 않은 오래된 약속을 취소하는 것과 같은 방식으로 시간과 에너지가 낭비되는 구멍을 막도록 하라.

다시 말하자면, 이것은 상황에 대한 통제력이 높아져 더욱 평화로운 마음을 갖도록 돕고, 당신의 의도를 뒷받침하는 더 많은 경험을 끌어들일 것이다.

보너스 팁.
작게 시작하라!

당신이 좌절하는 것과 낭비되는 에너지를 막기 위해 한 가지 팁을 더 제공하고자 한다.

많은 사람들이 끌어당김의 법칙에 대해 처음 배우고 더 많은 돈을 자기 삶에 끌어들이려고 할 때, 그들은 보통 큰 돈을 벌려고 한다. 사람들은 로또로 천만 달러를 얻거나, 그렇지 않더라도 아주 많은 돈을 받을 의도를 세운다.

이런 것들을 끌어당기는 것이 불가능한 것은 아니다. 분

명히 가능하다. 하지만 걷기 전에 기어 다니는 법을 배우려고 하기보다 자신이 있는 곳에서 원하는 곳으로 엄청난 도약을 감행하려고 할 때 문제가 발생한다!

몇 년 동안 재정적으로 어려움을 겪어 왔다면, 지금 바로 수백만 달러를 끌어당기려고 하는 것은 비현실적이다. 당신이 원하는 곳으로 점진적인 단계를 밟는 것이 훨씬 더 성공할 가능성이 높다. 그리고 그렇게 하는 가장 좋은 방법은 작은 것에서부터 시작하는 것이다.

잠시, 일반적으로 당신이 한 달 동안 얼마나 벌고 있는지 생각해보고, 그 금액을 끌어들이거나 조금 더 많이 끌어당기는 목표를 설정하라. 정말로 도전하고 싶다면, 일반적으로 가지는 돈의 두 배 또는 세 배를 끌어당기는 목표를 세울 수도 있다. 하지만 그보다 훨씬 더 높이 올라가는 것은 피하라. 그것이 당신에게는 너무 믿기 힘든 것이 될 것이기 때문이다.

일단 약간의 돈을 끌어당기는 데 성공하면, 기준을 계속 올리고 더 큰 금액을 끌어들일 수 있다. 그리고 결국 수백만

달러를 끌어당기는 것도 누워서 떡먹기처럼 보이게 될 것이
다.

결론

이 책에서 공유하는 팁에서 알 수 있듯이, 풍요를 끌어당기는 것은 다른 어떤 것보다도 내면의 숙달과 성장 과정에 있다. 내면이 풍요롭고 강할수록, 외부 현실 또한 더욱더 풍요로워질 것이다. 이것은 매우 자연스러운 과정이며, 여기에 투쟁이나 긴장은 포함되지 않는다.

대부분의 사람들에게 가장 어려운 부분은 생각의 방향을 바꾸고 감정적인 반응을 통제하기를 기억하는 것이다. 하지만 모든 습관과 마찬가지로, 일관된 노력은 장기적인 발전을 이루는데 큰 도움이 될 것이다.

풍요를 향한 여행을 하는 동안 인내심을 가져라. 긴장을
풀고 재미있게 즐겨라. 그러면 미처 알기도 전에 당신은
모든 형태의 선에 둘러싸여 있는 자신을 보게 될 것이다.

마리아 포르타스

www.RevealingGreatness.com